D1230419

Les week-ends de
Ruppert & Mulot

AIRE LIBRE

Cet ouvrage bénéficie d'un tirage de tête
numéroté de 1 à 777 exemplaires.
Il est enrichi d'un dessin inédit imprimé sur un papier
Rives Shetland blanc naturel en 250, signé par les auteurs.

D/2016/0089/296
ISBN 978-2-8001-6975-0

AIRE LIBRE
www.airelibre.dupuis.com

Édition : Elisa Renouil
Maquette : Philippe Ghielmetti & Roman Gigou
D/2016/0089/294
ISBN 978-2-8001- 6889-0

Imprimé en France par PPO Graphic.

360 mm de haut, 55 mm de large.
C'est tout ce qu'il faut à Florent Ruppert et Jérôme Mulot
pour caser un orchestre symphonique, une équipe de rugby, un bus parisien
ou un trois-mâts toutes voiles dehors.
Donnez une contrainte à ces deux-là, ils en inventeront trois autres.
Au printemps 2014, nous leur avons proposé ce format
impossible – les dimensions d'une colonne de texte du *Monde*.
Nous souhaitions accueillir un strip de bande dessinée dans notre supplément
du week-end sans pour autant en bouleverser la mise en pages.

Leur réponse, vous la tenez entre les mains.
Par la meurtrière ouverte chaque semaine dans les pages du journal,
ces deux snipers de l'humour noir et absurde ont épinglé
des familles dysfonctionnelles, des couples en crise, des amis toxiques
et quelques pétages de plombs, imaginant au passage
des solutions narratives inédites.

Ce n'est pas tout.
« Nous voudrions insérer dans ces colonnes une sensation de grand espace »,
avaient-ils expliqué. Promesse tenue.
Ils nous ont offert les cimes des Alpes et les vagues de l'Atlantique,
les toits de Paris et les tours de Chambord.
*« Comme les Japonais pour leurs estampes, nous regarderons par la fenêtre
avant de nous mettre à notre table à dessin »*, avaient-ils ajouté.
Alors, au fil des 52 parutions réparties sur deux années,
ils ont fait passer dans leur kakemono les feuilles rousses de l'automne,
la neige hivernale, les floraisons printanières et la chaleur de l'été.

Deux strips tranchent dans cette série.
Ruppert & Mulot les ont dessinés en janvier puis en novembre 2015.
Et ce n'est pas le moindre de leur tour de force
que de nous avoir arraché un de nos premiers sourires après les attentats :
en une image, ils avaient résumé l'esprit du moment.

ANNE FAVALIER

LES DESSINS QUI SUIVENT ONT ÉTÉ RÉALISÉS POUR "LE MONDE" ENTRE 2014 ET 2016. ILS SONT PRÉSENTÉS DANS L'ORDRE CHRONOLOGIQUE D'UNE ANNÉE CIVILE (QUI NE CORRESPOND PAS À LEUR ORDRE DE PARUTION). ILS COMMENCENT DONC PAR CELUI QUI SUIT LES ATTENTATS DU 7 JANVIER 2015 CONTRE CHARLIE HEBDO.

LES GRANDS DESSINS EN NOIR ET BLANC ONT TOUS (SAUF UN) ÉTÉ SPÉCIALEMENT RÉALISÉS POUR CE LIVRE AFIN D'EN AÉRER LA LECTURE.

NOUS TENONS À REMERCIER ANNE FAVALIER, RAPHAËLLE REROLLE ET TOUTE L'ÉQUIPE DU "MONDE" QUI SONT DES PETITS COEURS D'AMOUR.

ET NOUS REMERCIONS AUSSI CHALEUREUSEMENT ET AFFECTUEUSEMENT TOUS LES AUTEURS DE NOTRE ATELIER "LA VILLA", QUI ONT LU, RELU, CRITIQUÉ ET AMÉLIORÉ LES DESSINS QUE VOICI...

PLACE DE LA RÉPUBLIQUE

LE SNOWBOARD

L'AVALANCHE

VAS-Y TOUT SCHUSS !!!!
MAIS ON EST EN FAUX PLAT
TOUT SCHUSSSSS !!!!!!

L'OPÉRA

PUTAIN ILS SONT CHIANTS DE METTRE LA CHAISE AUSSI PRÈS DE LA RAMBARDE, ON PEUT PAS ALLONGER LES JAMBES

LE CHIEN POUR AVEUGLE

TTTTTTT'AAAAAAAAAAASSSSSSPPPPPPASSSSSSSFFFFEEEEEEEEEEERRRRRRRRRRMMMMMMÉÉÉÉÉÉÉÉÉÉÉÉ
CCCCCCCCCCCCOOOOOOOOUUUUUUUUUVVVVVVVVVVEEEEEEERRRRRCCCCCCCCCCLLLLLLLLLLLEEEEE
ATTTEEEEEENNNDSSS P
FFEERRMEERR, TTT U

UURRRQQUUUOOiiiC'''EEESSSTTMMOOiiiiQUUUiiiiAAAAAUURRAAiiiTTTDDDUULLEEEEEEEEE
'''AAAASSSSSFFFFFEEEERRRRRRMMÉÉÉÉTTTTTOOOOOiiii?????????
EEEE
??

L'ENNUI ET LES GARDIENS EN PÉRIODE CREUSE

MINCE J'AI UN MAUVAIS PRESSENTIMENT, ON N'AURAIT PAS DÛ, JE CROIS
JE SUIS D'ACCORD
ON VA ALLER EN PRISON, C'EST CLAIR
ON CRIE POUR LES PRÉVENIR?
MOUAIFE... TROP TARD

LE PHARE

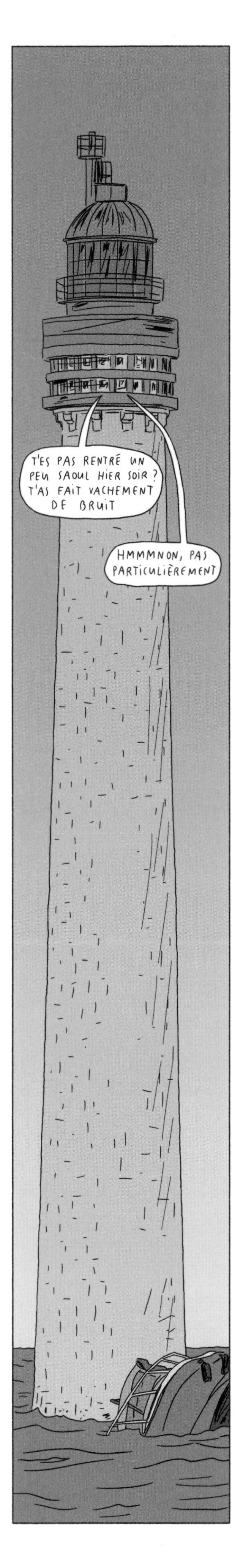

T'ES PAS RENTRÉ UN PEU SAOUL HIER SOIR ? T'AS FAIT VACHEMENT DE BRUIT
HMMMNON, PAS PARTICULIÈREMENT

MAIS TU PEUX PAS RENTRER DANS LE PORT DE MARSEILLE AVEC CE BATEAU, T'ES TARÉ, C'EST PAS ASSEZ PROFOND !!
MAIS SI, JE L'AI FAIT PLEIN DE FOIS, TU VAS VOIR

LA BALANÇOIRE

LA COURSE DE MOTOS

L'ÉOLIENNE

ON PEUT DÉTRUIRE CETTE ÉOLIENNE? JE LA VOIS DE CHEZ MOI QUAND J'OUVRE LA FENÊTRE DE LA SALLE DE BAINS, ÇA ME SOÛLE
DE QUOI?
ON DIT QUE C'EST UN ACCIDENT, ON DIT QUE TU M'AS DIT DE DÉTRUIRE UN TRUC ET QUE J'AI MAL COMPRIS
TU PLAISANTES, J'ESPÈRE
ELLE ME SOÛLE ELLE EST TOUTE SEULE ET ELLE FAIT DU BRUIT EN PLUS
ARRÊTE, C'EST PAS DRÔLE
QU'EST-CE QU'IL YA? TU M'AS DIT DE DÉTRUIRE L'ÉOLIENNE? ALLÔ MON COMMANDANT, J'ENTENDS MAL
NON, JE N'AI RIEN DIT
QUE JE LA DÉTRUISE IMMÉDIATEMENT? VOUS ÊTES SÛR?
NÉGATIF, JE N'AI DONNÉ AUCUN ORDRE
ROGER

ATTENDS, JE NE ME RAPPELLE PLUS, C'EST QUOI L'EXPRESSION POUR TOUCHER LES SEINS ? C'EST "DIS AVION", OU "DIS CAMION" ?
C'EST "DIS AVION", COMMENT TU PEUX OUBLIER UN TRUC AUSSI SIMPLE ?

LE CHÂTEAU DE LA LOIRE

LE PÊCHEUR

À QUOI JE PENSAIS DÉJÀ ?
C'ÉTAIT UNE PENSÉE AGRÉABLE, C'ÉTAIT QUOI, PUTAIN ?
PUTAIN, MAIS À QUOI JE PENSAIS, BORDEL ?

LE TOURNAGE

COUPEZ!
ATTENDEZ UNE SECONDE, IL Y A DES RANDONNEURS DANS LE CADRE, TOUT LE MONDE RESTE EN PLACE, ON VA LES FAIRE PARTIR
EH VAS-Y, PROFITES-EN POUR ME TOUCHER LES NICHONS TOI
HA NAN MAIS C'EST DES DOIGTS EN PLASTIQUE, MES DOIGTS À MOI ILS S'ARRÊTENT BIEN AVANT LES DOIGTS, JE SAIS MÊME PAS OÙ ILS SONT EXACTEMENT EN FAIT
OUAIS C'EST ÇA, PRENDS MOI POUR UNE CONNE

ET ALLEZ, QUI C'EST QUI EST BON POUR LE TEST ANTI-DOPANT MAINTENANT ? ET MOI QUI LEUR AI RÉPETÉ VINGT FOIS DE JOUER TRANQUILLOU À CES DEMEURÉS MAIS PUTAIN

LA BALADE

ET LÀ? ET LÀ TU VAS ME DIRE QUE TU APPUIES SUR LES PÉDALES? MAIS FOUS-TOI DE MA GUEULE, PRENDS-MOI POUR TON BOUFFON
MAIS PUTAIN, J'APPUIE, ME CASSE PAS LES COUILLES
ALLEZ TAIS-TOI, ÇA VAUDRA MIEUX, VA
PARCE QUE SI JE NE ME TAIS PAS, TU VAS FAIRE QUOI ?
TU VAS ME TAPER ?
ALLEZ, APPUIE SUR LES PÉDALES AU LIEU DE LA RAMENER
EH, C'ÉTAIT TON IDÉE, JE TE RAPPELLE "LE WEEK-END EN AMOUREUX EN TANDEM"
TROP BONNE IDÉE
J'AI TROP MAL AU CUL

LE KAYAK

ÇA T'ARRIVE DE CRACHER SUR LES CANOËS, TOI ?
JE T'AI PAS DIT DE LE FAIRE, JE TE DEMANDAIS JUSTE SI ÇA T'ARRIVAIT

LE TOBOGGAN

PAPA J'AI ENVIE DE VOMIR ET JE CROIS QUE JE VIENS DE FAIRE CACA DANS MON MAILLOT DE BAIN
KEVIN, TU M'AS FAIT MONTER CES MARCHES ALORS MAINTENANT TU FAIS LE TOBOGGAN !!

L'ESCALADE

BON, EN FAIT, T'AS RAISON, C'ÉTAIT UNE CONNERIE DE GRIMPER SANS CORDAGES NI BAUDRIER
TU PEUX REDESCENDRE ME CHERCHER ?
JE CROIS QUE MES JAMBES SONT EN TRAIN DE ME LÂCHER ET LES MUSCLES DE MES BRAS SONT TÉTANISÉS
EN FAIT, JE PENSAIS PAS QU'ON SERAIT SI HAUT
JE SUIS EN TRAIN DE FAIRE UNE CRISE D'ANGOISSE, TU PEUX VENIR ?

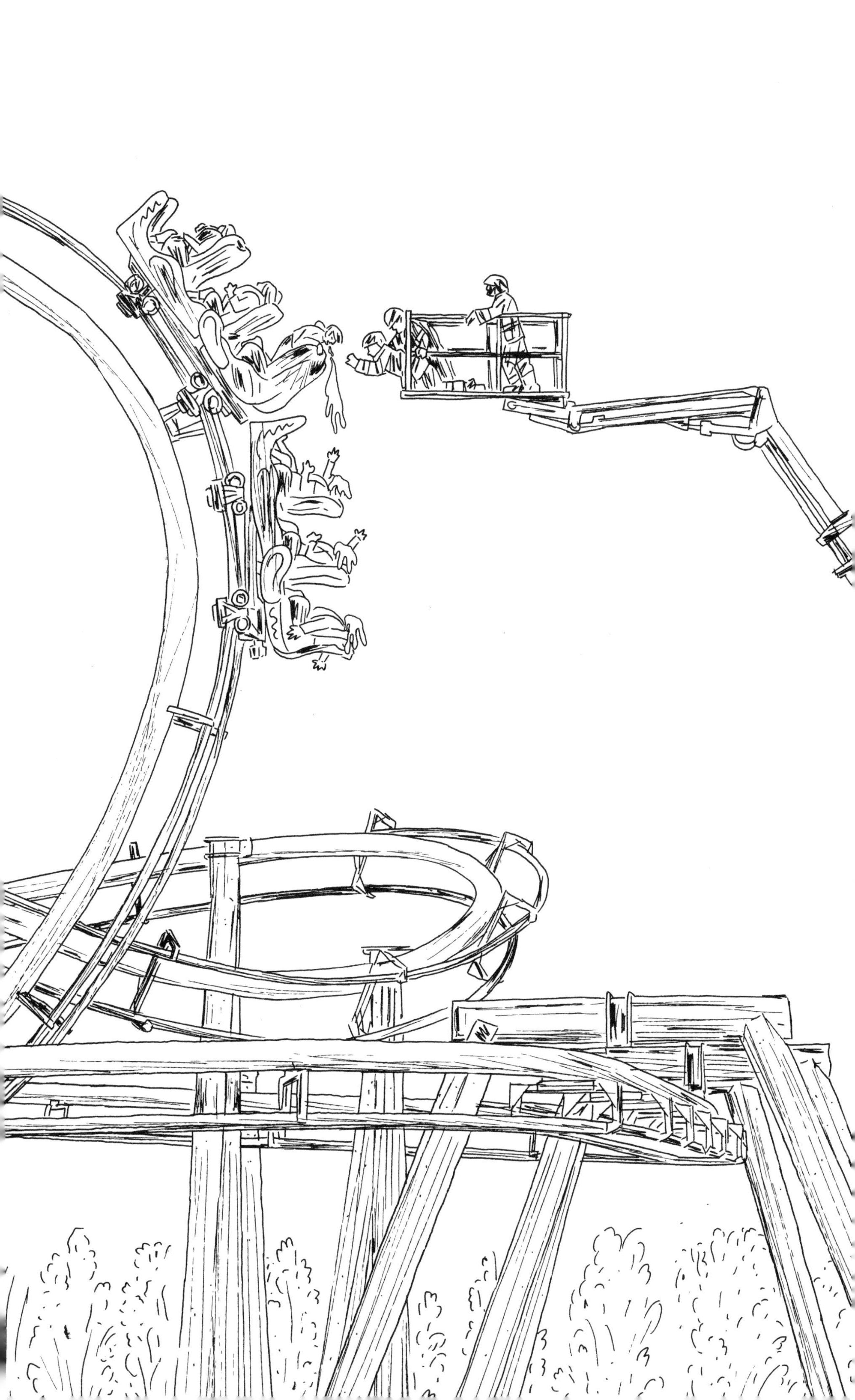

VENISE EN AMOUREUX

L'HÔTEL À NEW YORK

LE LAVEUR DE VITRES

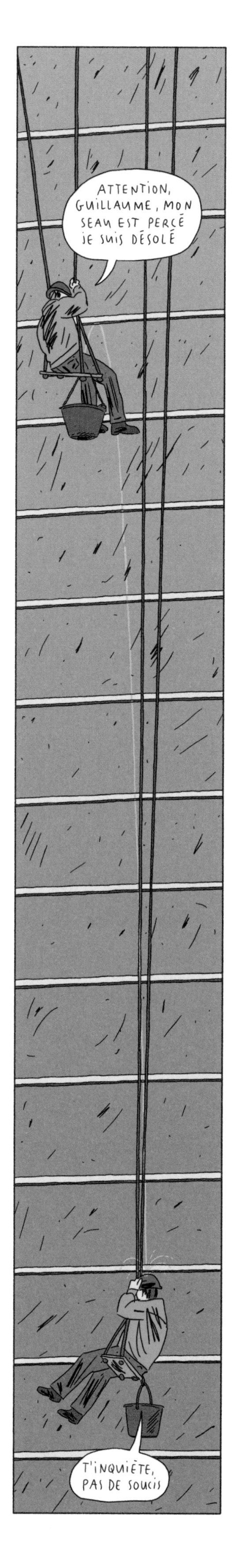

LE MANQUE DE CARBURANT

LE SELFIE DU CAPITAINE

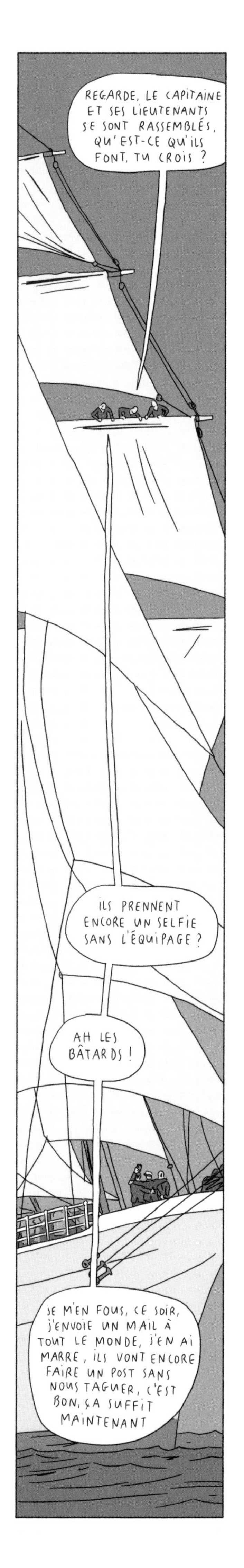

LE TRAC

VOUS ÊTES SÛRS QUE JE DOIS RESTER, PARCE QUE JE PEUX VOUS ENVOYER MA SECRÉTAIRE POUR RÉGLER LES DERNIERS DÉTAILS, SINON

LA PLONGÉE

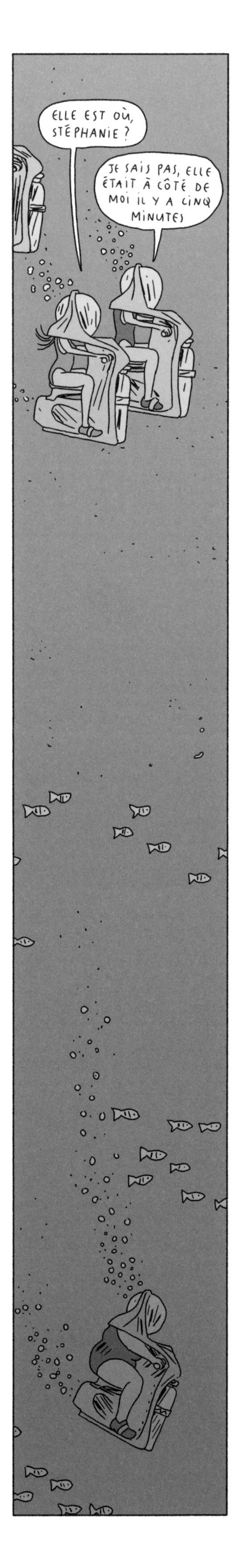
ELLE EST OÙ, STÉPHANIE ?
JE SAIS PAS, ELLE ÉTAIT À CÔTÉ DE MOI IL Y A CINQ MINUTES

LA SPÉLÉOLOGIE

LES NAGEURS

OH NAN, PAS ELLE
C'EST PAS VRAI, ELLE EST ENCORE LÀ, CELLE-LÀ
ELLE VA ENCORE NOUS METTRE DES COUPS DE PAGAIE COMME L'ANNÉE DERNIÈRE
BON, JE PEUX PASSER? IL EST PAS À VOUS, CE LAC
MAIS PUTAIN, MADAME...

LA MONTGOLFIÈRE

LE TÉLÉPHÉRIQUE

LE PLAQUÉ

J'ES-
PÈRE
QUE
JE
NE
VAIS
PAS
ME
FAI-
RE
UN
PLAT
COM-
ME
LA
DER-
NIÈRE
F...

LE REQUIN

C'EST DOMMAGE QU'IL FASSE SI SOMBRE À CETTE PROFONDEUR, ON VOIT RIEN DU TOUT EN FAIT
C'EST CLAIR
ON DOIT LOUPER DES TRUCS HYPER BEAUX CHU SÛR

LE TEMPLE GREC

L'ACCROBRANCHE

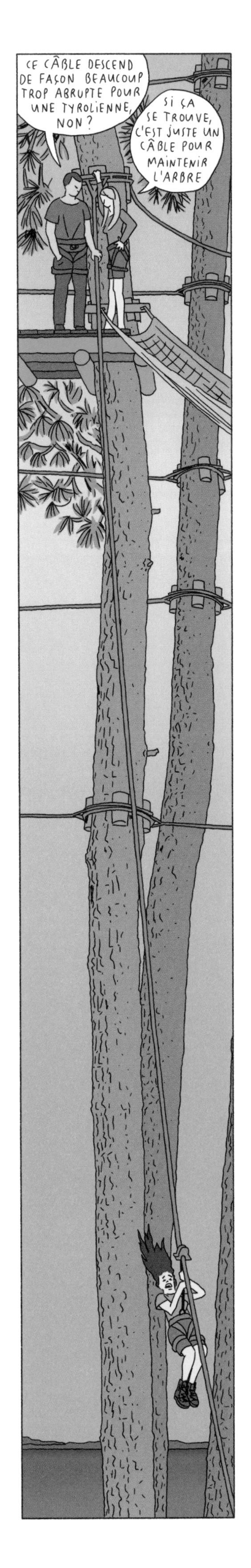

LES ÉTOILES

IL Y A MOINS D'ÉTOILES FILANTES QUAND ON SE RAPPROCHE DE LA RENTRÉE, T'AS REMARQUÉ?

ATTENDS, COMMENCE PAS À FOUTRE LA MAUVAISE AMBIANCE AVEC TA RENTRÉE, LAISSE-NOUS PROFITER DES VACANCES JUSQU'AU BOUT, ON VA EN VOIR DES ÉTOILES FILANTES, FAUT ATTENDRE UN PEU, C'EST TOUT

ZÉRO ÉTOILE FILANTE, C'EST CON, J'AURAIS PU FAIRE UN VŒU PAR RAPPORT AUX BOUCHONS DE DEMAIN

LA RENTRÉE AU BUREAU

LA NOYADE

OH MON DIEU, IL VA SE NOYER !!
IL FAUT QUE QUELQU'UN Y AILLE, FAUT LE SAUVER
ÇA A L'AIR D'ÊTRE UN CLOCHARD, MAIS C'EST PAS UNE RAISON, QUELQU'UN, VITE !!!
ALLEZ !! QUELQU'UN !!! QUE QUELQU'UN Y AILLE, IL VA SE NOYER SINON !!
OUI, IL A RAISON
ON S'EN FICHE QUE CE SOIT UN CLOCHARD
OUI !
C'EST VRAI, IL A RAISON
IL A RAISON, QUE QUELQU'UN AILLE LE SAUVER
OUI, ALLEZ ! QUELQU'UN

LE BATEAU-MOUCHE

LA PROMENADE EN HÉLICOPTÈRE

LE PROBLÈME DE
LA CONCORDE

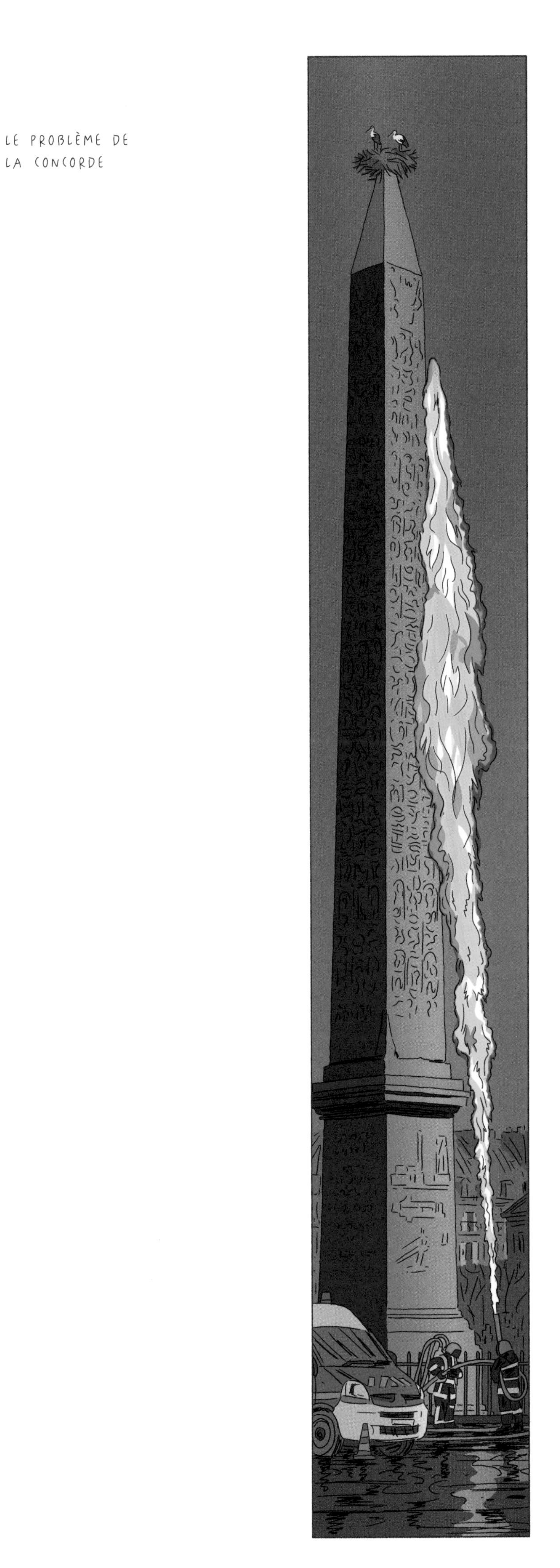

IL EST COINCÉ
SA TÊTE EST COINCÉE
MONSIEUR L'ARBITRE, SIFFLEZ !! IL A LA TÊTE COINCÉE ! VOUS NE VOYEZ PAS ?!?
?
IL A LA TÊTE COINCÉE DANS LES FESSES DE L'AUTRE !
TROP BIEN
PREMIÈRE FOIS QUE JE VOIS ÇA, C'EST GÉNIAL !

LE RUGBY

L'ULM

OUI, ALLÔ, STÉPHANE ?
SALUT, C'EST SERGE À L'APPAREIL
OUI, QU'EST-CE QUE JE VOULAIS DIRE? JE SUIS ALLÉ TROP LOIN EN ULM LÀ, ET J'AI PLUS ASSEZ D'ESSENCE POUR RENTRER À L'AÉRODROME, QU'EST-CE QUE JE DOIS FAIRE?
LE PARACHUTE, NON, C'EST TOI-MÊME QUI M'AS DIT QUE C'ÉTAIT TROP LOURD DANS UN ULM
SI, SI, C'EST TOI QUI L'AS DIT
SI, SI, STÉPHANE
PUTAIN, STÉPHANE, JE TE JURE QUE MA VOIX EST CALME, LÀ, MAIS À L'INTÉRIEUR
ALLÔ, STÉPHANE ?
ALLÔ?
STÉPHANE! T'AS RACCROCHÉ ?

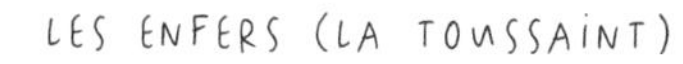
LES ENFERS (LA TOUSSAINT)

LE BUS

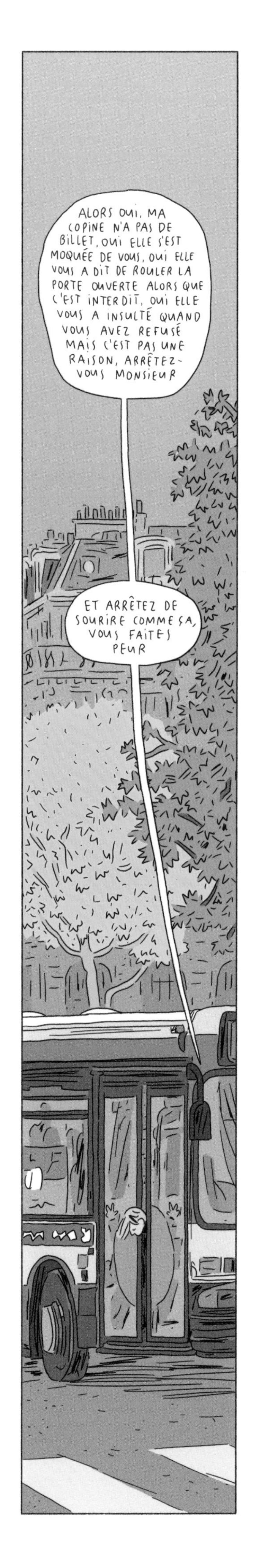

ALORS OUI, MA COPINE N'A PAS DE BILLET, OUI ELLE S'EST MOQUÉE DE VOUS, OUI ELLE VOUS A DIT DE ROULER LA PORTE OUVERTE ALORS QUE C'EST INTERDIT, OUI ELLE VOUS A INSULTÉ QUAND VOUS AVEZ REFUSÉ MAIS C'EST PAS UNE RAISON, ARRÊTEZ-VOUS MONSIEUR
ET ARRÊTEZ DE SOURIRE COMME ÇA, VOUS FAITES PEUR

LA FENÊTRE

TIENS, J'AI PAS ENCORE PENSÉ AUX ATTENTATS AUJOURD'HUI
AH, BA, SI, DU COUP

LE DOS D'ÂNE

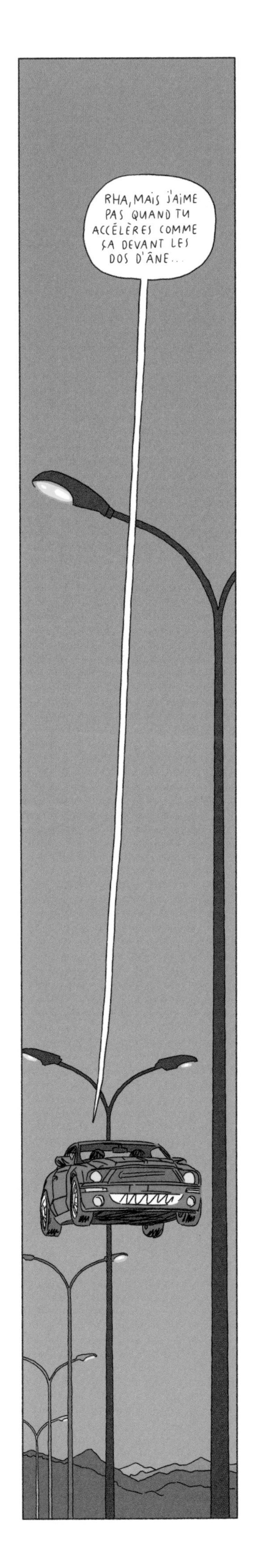
RHA, MAIS J'AIME PAS QUAND TU ACCÉLÈRES COMME ÇA DEVANT LES DOS D'ÂNE...

LA CHASSE AUX BISONS

LES RENARDS

OUI, BONJOUR, MADAME, JE VOUS APPELLE À PROPOS D'UN PROBLÈME TECHNIQUE SUR UNE FABLE
OUI, JE NE QUITTE PAS, MERCI
OUI, BONJOUR, MONSIEUR, J'AI UN PROBLÈME AVEC UNE FABLE DE LA FONTAINE AVEC LE PERSONNAGE DU RENARD
EH BIEN, J'AI TOUS MES RENARDS RASSEMBLÉS DANS LA MÊME FABLE
JE SUIS SUR UN ARBRE
ET BEN ILS SONT LÀ, ILS ME FONT TOUS DES COMPLIMENTS SUR MA VOIX
JE DIS : ILS ME FONT DES COMPLIMENTS SUR MA VOIX
C'EST PAS QUE J'ARTICULE PAS C'EST PARCE QUE J'AI UN FROMAGE DANS LA BOUCHE

LE FORFAIT

TIENS, C'EST QUOI PAR TERRE ? C'EST PAS LE FORFAIT DE SYLVIE ?
HA SI, ELLE EST OÙ D'AILLEURS ? ELLE ÉTAIT DERRIÈRE NOUS TOUT À L'HEURE
C'EST BIZARRE, LE FORFAIT EST COINCÉ DANS LA PORTE, J'ARRIVE PAS À LE PRENDRE

LA VOITURE

ALLÔ JÉREMIE
SALUT ÇA VA ? BIEN DORMI ?
OUI JE SUIS DÉJÀ PARTI DE L'APPART
BA OUI FAUT BIEN QUE J'AILLE TRAVAILLER
MOI ÇA VA, ÇA VA, MERCI
POURQUOI JE T'APPELLE ? NON COMME ÇA POUR RIEN
EST-CE QUE ÇA A UN RAPPORT AVEC MA VOITURE QUE JE T'AI PRÊTÉE HIER SOIR ? NON PAS DU TOUT MAIS OUI ELLE EST DEVANT MOI, JE M'APPROCHE
NON NON JE SUIS TRÈS CALME

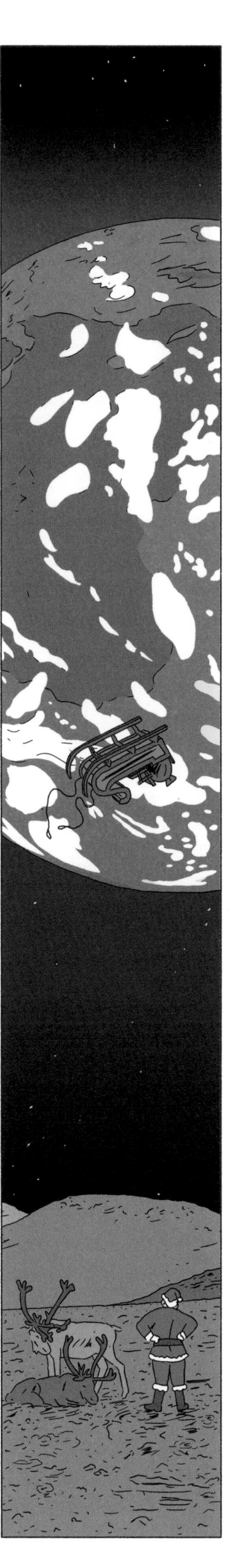

LE PÈRE NOËL

LE TOIT

DES MÊMES AUTEURS

CHEZ AIRE LIBRE
La Technique du périnée

en collaboration avec Bastien Vivès
La Grande Odalisque
Olympia

AUX ÉDITIONS L'ASSOCIATION
Safari Monseigneur
Panier de singe
La Poubelle de la place Vendôme
Gogo club
Sol carrelus
Le Tricheur
Irène et les clochards
Le Royaume
Un Cadeau
Famille royale